IRVIN L. YOUNG MEMORIAL LIBRARY
WHITEWATER, WISCONSIN
W9-CNX-811
JUL 2018
9-CEK-955

About twenty million years ago,
there lived an animal called the *camelus* (ca-me-lus).
It looked like a camel with a very long neck.
No wonder it was called the "giraffe camel."
Like the giraffe we know today,
this camel fed on the leaves of trees.
Did it have a hump? We don't know.
Nothing is left that can give us an answer.

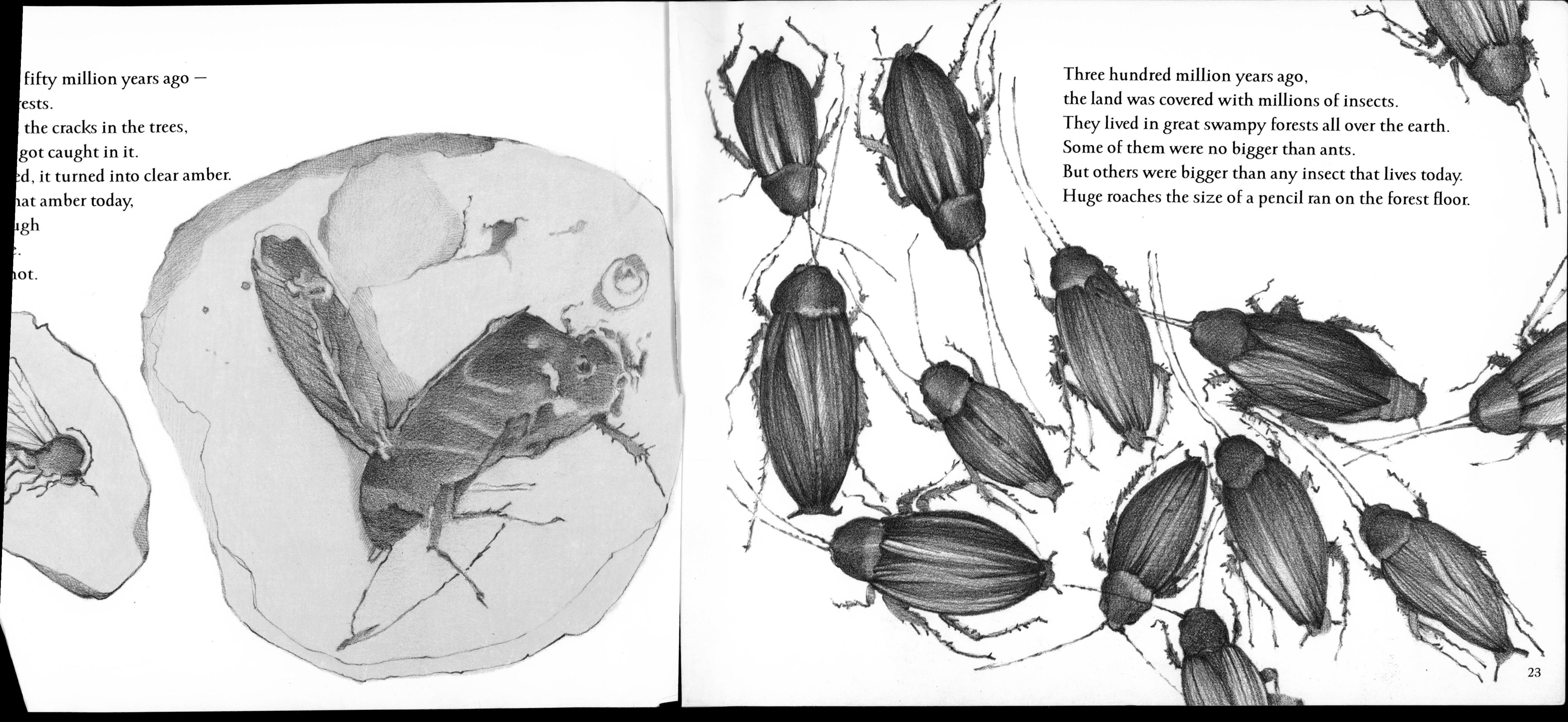

fifty million years ago —
rests.
the cracks in the trees,
got caught in it.
ed, it turned into clear amber.
hat amber today,
ugh
.
not.

Three hundred million years ago,
the land was covered with millions of insects.
They lived in great swampy forests all over the earth.
Some of them were no bigger than ants.
But others were bigger than any insect that lives today.
Huge roaches the size of a pencil ran on the forest floor.

Giant-sized dragonflies flew overhead like kites.

In 1922, scientists went on an expedition
to the Gobi Desert in Asia.
There they found the bones of a giant animal
that lived twenty to thirty million years ago.
It looked like a rhinoceros without horns.
Today all rhinoceroses have horns.
It was called the *baluchitherium* (ba-loo-ki-ther-ee-um),
or the "Beast of Baluchistan" (Ba-loo-ki-stan),
because its bones were first found
in Baluchistan, Mongolia.

It was the size of a small house.
It measured thirty-four feet from nose to tail,
and eighteen feet from the ground up.
It traveled in herds across the plains of Asia.
It was taller than a giraffe, but much heavier.
Like a giraffe, it could reach the highest branches.
It had only to stretch out its neck to eat twigs,
leaves, and flowers twenty feet off the ground.

Just over three hundred years ago, there lived
a funny-looking bird called the *dodo* (doh-doh).
It was as big as a turkey.
It waddled as it walked on short, stubby legs.
Its curved beak was nine inches long.
Its wings were so short that it could not fly.
It lived on islands in the Indian Ocean.
When ships stopped there, sailors killed the dodo for food.
They left pigs and rats that ate up
the dodos' eggs and their young.
Now there are no dodos anywhere in the world.

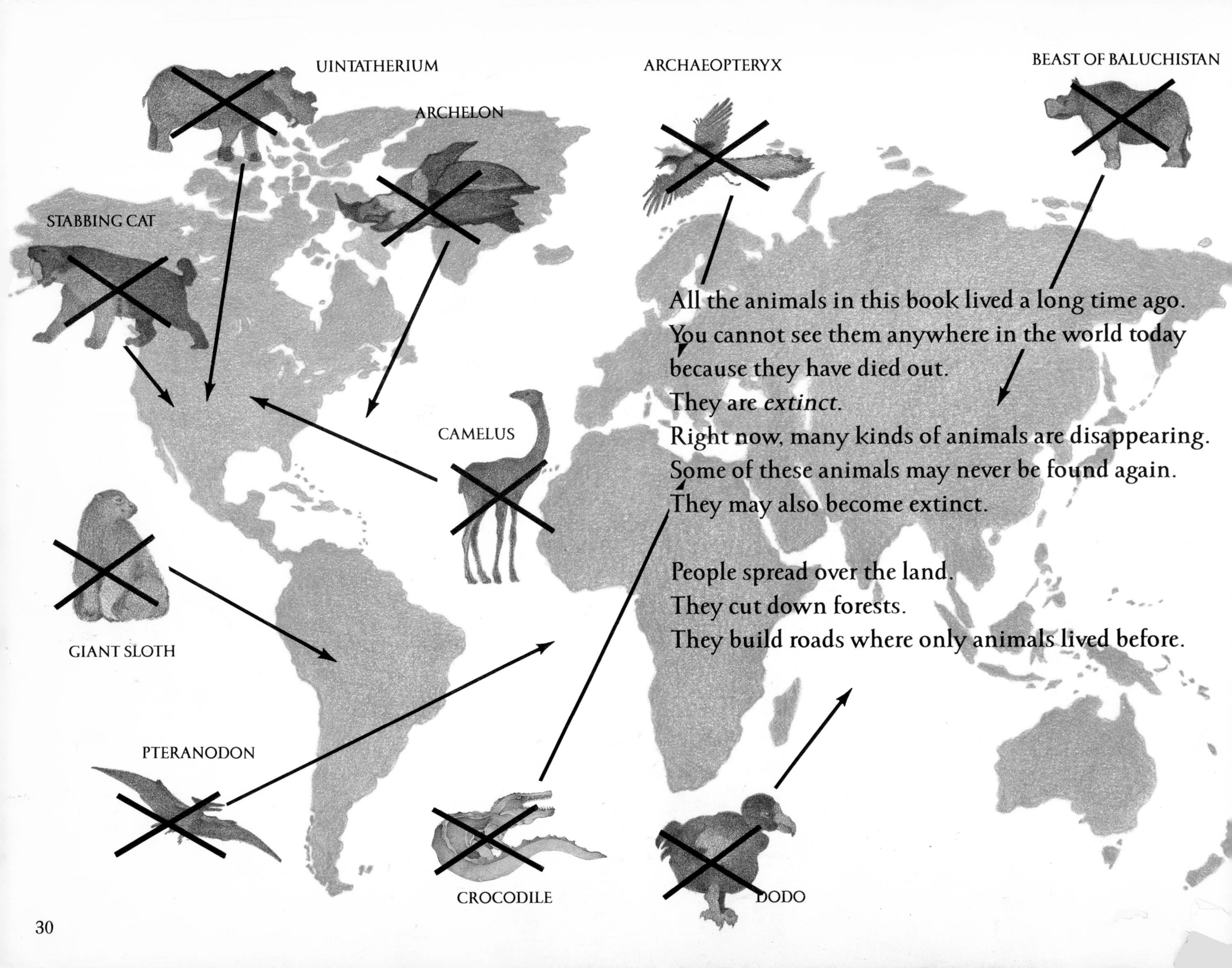

All the animals in this book lived a long time ago.
You cannot see them anywhere in the world today
because they have died out.
They are *extinct*.
Right now, many kinds of animals are disappearing.
Some of these animals may never be found again.
They may also become extinct.

People spread over the land.
They cut down forests.
They build roads where only animals lived before.

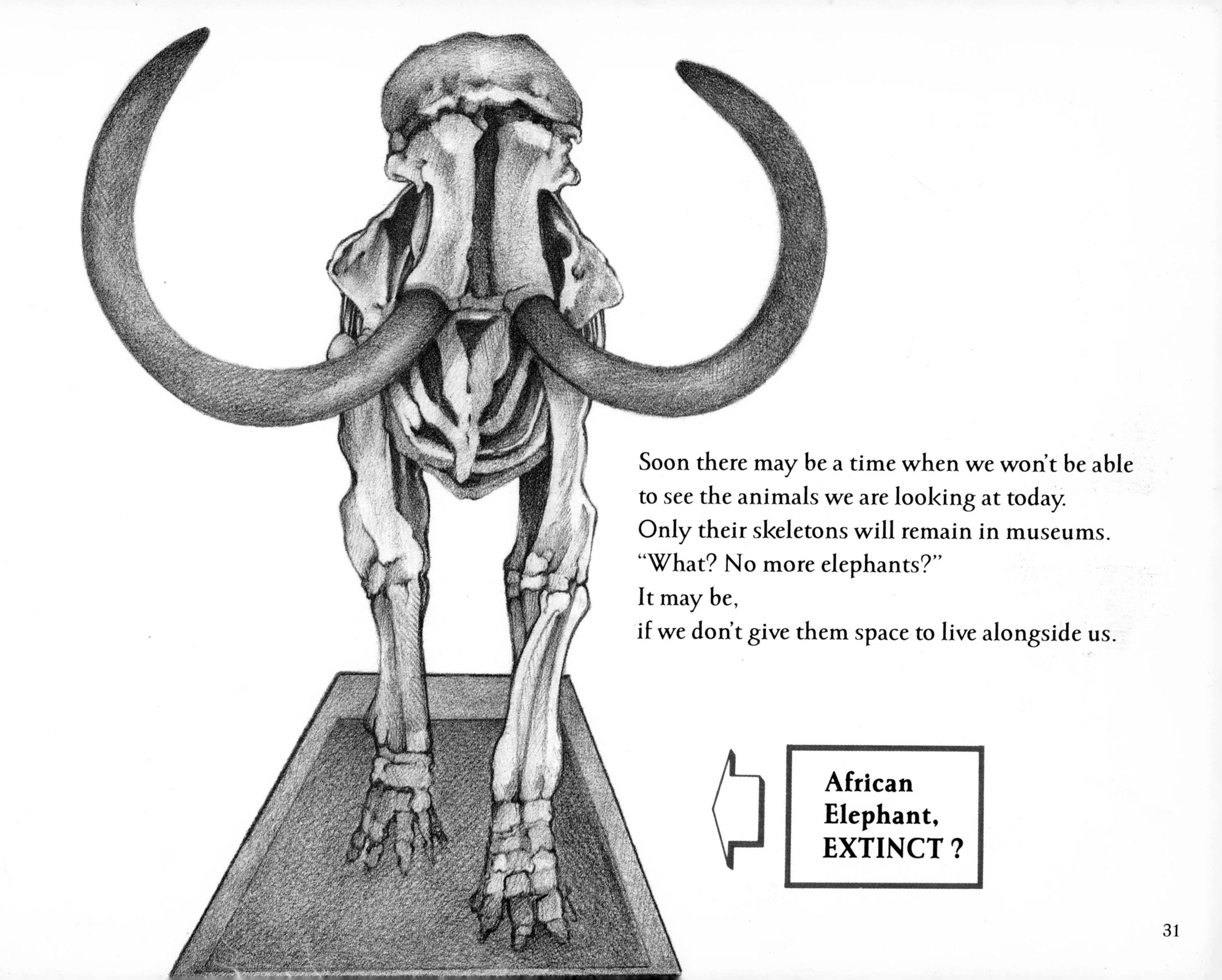

Soon there may be a time when we won't be able
to see the animals we are looking at today.
Only their skeletons will remain in museums.
"What? No more elephants?"
It may be,
if we don't give them space to live alongside us.

List of Animals in This Book

Page Number	Scientific Name	Approximate Dates of Existence (years B.C. except where noted)	Habitat
Front Jacket	Pteranodon	70 million	World
	Archelon	25 million	North American oceans
Back Jacket	Dinichthys	395 million	North America and Europe
page 1	Anchisaurus	200 million	World
page 2	Smilodon (Stabbing Cat)	50,000	North American Southwest
page 3	Pteranodon (see front jacket)		
	Hypsilophodon	120-140 million	North America and Europe
page 4	Fabrosaurus	140 million	Africa
page 5	Spinosaurus	100 million	Europe, Africa, North America
	Stegosaurus	140 million	North America
page 6	Brontosaurus	140 million	North America
page 7	Camptosaurus	140 million	Western Europe, N.W. America
pages 8-9	Cladoselache	345 million	World oceans
	Climatius	345 million	Northern oceans
	Bothriolepis	345 million	World oceans
	Pleiosaur	65-100 million	World oceans
	Cheirolepis	345 million	World oceans
	Cephalaspis	345 million	Northern oceans
pages 10-11	Pteranodon (see front jacket)		

Page Number	Scientific Name	Approximate Dates of Existence (years B.C. except where noted)	Habitat
pages 12-13	Archelon (see front jacket)		
	Dipterus (see pp. 8-9)		
	Cladoselache (see pp. 8-9)		
pages 12-13	Eusthenopteron	345 million	Northern oceans
	Cladoselache (see above)		
page 14	Giant Crocodile	140 million	Europe, Africa
page 16	Archaeopteryx	140 million	Europe
page 17	Uintatherium	60 million	North America
page 19	Megatherium (Giant Land Sloth)	1 million	North American Southwest
page 20	Smilodon (see p. 2)		
page 22	Camelus	20 million	North America
page 23	Early Cockroaches	300 million	World
pages 24-26	Early Dragonflies	40-50 million	World
	Early Beetles	40-50 million	World
pages 27-28	Baluchitherium (Beast of Baluchistan)	20-30 million	Asian deserts
page 29	Dodo	17th Century A.D.	Islands in the Indian Ocean
page 32	Pteranodon (see front jacket)		

Animals are listed from left to right.

¡Atrapa a esa galleta!

Texto: Hallie Durand

Ilustraciones: David Small

Picarona

Para Marshall Washington Steiner.

Con un agradecimiento especial a mis amigos del Morrow Memorial Preschool, especialmente a Barbara Illingworth, Sharon Buechler, Maureen Davenport, Margaret Gray, Nancy O'Connell y Gerald Jackson.
H. D.

Para Holly.
D. S.

Puedes consultar nuestro catálogo en www.picarona.net

¡Atrapa a esa galleta!
Texto: *Hallie Durand*
Ilustraciones: *David Small*

1.ª edición: junio de 2017

Título original: *Catch that Cookie!*

Traducción: *Joana Delgado*
Maquetación: *Montse Martín*
Corrección: *M.ª Ángeles Olivera*

Edita: Picarona, sello infantil de Ediciones Obelisco, S. L.
Collita, 23-25. Pol. Ind. Molí de la Bastida
08191 Rubí - Barcelona
Tel. 93 309 85 25 - Fax 93 309 85 23
E-mail: picarona@picarona.net

ISBN: 978-84-9145-078-8
Depósito Legal: B-14.681-2017

Printed in Spain

Impreso en España por ANMAN, Gràfiques del Vallès, S. L.
C/ Llobateres, 16-18, Tallers 7 - Nau 10. Polígono Industrial Santiga.
08210 - Barberà del Vallès (Barcelona)

Estamos en el mes de diciembre.
La clase de Marshall ha estado escuchando
toda la semana historias acerca de unas furtivas
galletas de jengibre con forma de hombrecillos.

Pero Marshall no se cree ni una palabra de todo ello.

—No pueden correr de verdad —les dice—. Es imposible.

—Espero que tengas razón —comenta la Sra. Gray—, ya que hoy vamos a preparar nuestras propias galletas.

Marshall asiente con la cabeza. Sabe que está en lo cierto.

Aquella tarde, Marshall y sus amigos empiezan a mezclar la harina con el azúcar y una cosa pegajosa y oscura.
—Eso es melaza —afirma Marshall.

Marshall es quien remueve la masa, y aunque ya le duelen los brazos, sigue amasando, ya que ¡se muere de ganas por ver su galleta acabada!

—¡Excelente, Marshall! —le dice
la Sra. Gray—. La masa te ha quedado bordada.

Marshall asiente.
Sabía que lo iba a conseguir.

Marshall adorna al hombrecillo
de jengibre: le pone un cinturón
de bolitas de plata y seis ojos
(puesto que le encantan las uvas pasas).

¡Su galleta parece decir «cómeme»!

Cuando las galletas están a buen recaudo, la Sra. Gray
vuelve a comprobar la puerta del horno.
—¡Cerrado! —exclama.

Finalmente suena el minutero de la cocina
y la Sra. Gray le dice a Marshall:
—¡Venga, intrépido chef, vamos a la cocina!

Pero cuando van a ver el horno... ¡ESTÁ TOTALMENTE VACÍO!

—¡HAN HUIDO! —gritan todos—. **¡VAMOS A BUSCARLAS!**

Marshall se queda perplejo,
no puede creerlo.

—¡Nos han dejado una pista! —exclama la Sra. Gray.

Si podéis resolver esto, vuestra merienda seremos,
pero, de no ser así, nunca jamás nos veremos.
Hemos huido del horno, aburridas de pasar calor,
ahora estamos escondidas dentro
de un gran negro_ _ _ _ .

¡GRAN, GRAN, GRAN NEGRO JARRÓN!

Henry salta y salta.

Dentro del jarrón hay otra nota.

¡Qué pena que no nos pilléis,
pues estamos muy sabrosas.
Ahora estamos de vacaciones,
en una playa_ _ _ _ _ .

¡ARENOSA!

—¡En el arenero! —gritan todos.

Y salen corriendo hacia allí.
Todos menos Marshall.

Da la vuelta al jarrón y mete una mano dentro. Enseguida nota que hay algo pequeño y blando: ¡una uva pasa! Marshall se la guarda en el bolsillo.

Ya en el arenero, la Sra. Gray lee la siguiente nota.
—¡Anda! –dice–, ¡qué mala letra!

Ahora tampoco nos pillaréis, y esto sí que es una guasa,
creéis que vamos muy despacio porque somos una masa,
pero somos muy rápidas, no nos gusta alardear,
intentad pues encontrarnos, jugaremos a_ _ _ _ _ .

—**CORRER Y PILLAR** —grita Avery.

—No pueden correr —afirma Marshall.
—Pueden —comenta Avery.

—¡Vamos! —dice la Sra. Gray.
Todos se encaminan al gimnasio.
Bueno, todos menos Marshall.

—¿Puedo ver esa nota? —pregunta.
La escritura es mala. Es imposible
que la haya escrito la Sra. Gray.

La siguiente pista está en las gradas del gimnasio.

Nos lo hemos pasado bien, y eso sin montar alboroto.
Nos impresiona muchísimo que os esforcéis un montón.
Si esta vez no nos encontráis, el juego se habrá acabado.
Vosotros habréis perdido, nosotras habremos ganado.

—Esta nota no da ninguna pista —dice Henry.

Están atascados, están hambrientos
y quieren ganar. Todos hacen piña.

Pero Marshall se queda sentado pensando en las pruebas.
La uva pasa en su bolsillo... la mala escritura.

¿Y si los hombrecillos-galleta pudieran correr?

Y entonces, en el suelo del gimnasio, ve una bolita plateada.
Sólo puede proceder de un sitio.

Después ve las huellas.

Son huellas de hombrecillos de jengibre,
¡cientos de ellas!

Koalas

Marshall permanece en silencio.

Esos hombrecillos no han parado –piensa–, *deben estar agotados.*

¡ESO ES!

—¡ESTÁN HACIENDO UNA SIESTA! —grita Marshall.
Todo el mundo empieza a buscar, en las gradas y debajo de las esterillas. No hay suerte. ¿Han ganado las galletas de jengibre?
Si yo necesitara descansar —piensa Marshall—, *me iría a...*

¡LA CAMA!

¡ESTÁN EN EL RINCÓN DE LOS MUÑECOS! —chilla.

Esta vez, es Marshall quien encabeza la búsqueda.

Y allí, durmiendo profundamente
en la cama de las muñecas,
están las galletas de jengibre.
El hombrecillo de Marshall está justo
en medio, con un ojo menos
y sin una de las bolitas del cinturón.
Seguro que era el cabecilla.

Todo el mundo grita entusiasmado.
¡Han atrapado a los hombrecillos-galleta!

Marshall vuelve a colocar en su galleta
el ojo que le faltaba.

—Puedes correr —le dice.

—¡Buen rastreo! —exclama
la Sra. Gray.
Marshall asiente. Sabía que había
rastreado muy bien, fuera
lo que fuera.

Cuando su papá va a recogerle, Marshall lleva bien sujeto al hombrecillo-galleta.

—Papá —dice Marshall cuando están en su automóvil.

—¿Qué hay, colega?

—Cierra las puertas.

—¿Por qué? —le responde su papá.

—Es para que no se escape mi galleta —contesta Marshall—. Puede correr ¿sabes?

Su papá asiente con la cabeza.

Sabe que esas galletas pueden echar a correr en cualquier momento.